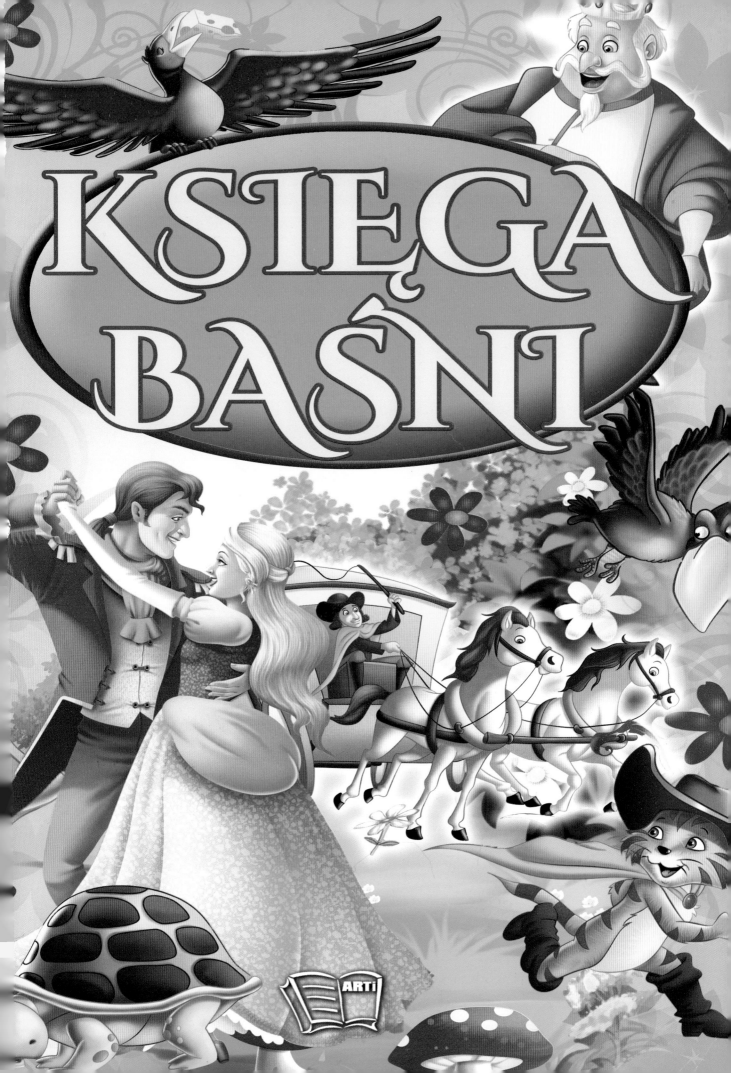

KSIĘGA BAŚNI

ARTi

KSIĘGA BAŚNI
Opracowanie redakcyjne: Małgorzata Pilecka, Maria Kozyra
Projekt okładki: Artur Rogala
© PWH ARTI Artur Rogala, Mariusz Rogala, sp. j.

Tytuł oryginału: FAIRY TAILS
Autor pomysłu: Sanjay Dhiman
Dyrektor artystyczny: Lalit Gupta
Redaktor wydania oryginalnego: Dikssha Chopra
Projekt: Azad Singh, Sanjay Pal, Pawan Vats & Deepak Khar
Illustracje: Chandra Prakash Dubey, Yogesh Kumar Singh, Manoj Kureel, Santosh Gopal Neogi, Babu Kuttan E.V, Sijoy Thomas, Madan Lal, Pankaj, Sushanta Kar, Suraj Shastri, Akhil P. Lal, T.R. Azad, Deepak Dayal Dubey, Sunil Kumar, Siddharth Sharma, Ravi Kant, Yash Pal & Suman Dubey

ISBN 978-83-7740-491-1

© Copyright 2011 Brijbasi Art Press Ltd
© Copyright 2011 PWH ARTI Artur Rogala, Mariusz Rogala, sp. j.
Warszawa 2015

PRZEDSIĘBIORSTWO WYDAWNICZO-HANDLOWE „ARTI"
Artur Rogala, Mariusz Rogala-Spółka Jawna
05-850 Ożarów Mazowiecki, ul. Sochaczewska 31, Macierzysz
tel./fax 22 6314158, tel. 22 6316080
e-mail: wydawnictwoarti@wp.pl
www.artibiuro.pl

Alicja
w
Krainie Czarów

Był piękny, ciepły dzień i Alicja spędzała go nad brzegiem rzeki ze swoją starszą siostrą, która czytała jej książkę. Dziewczynka przez ramię siostry zaglądała do tej książki, ale ponieważ nie miała ona ilustracji, Alicja wkrótce straciła nią zainteresowanie i zaczęła ziewać.

Nagle zobaczyła obok siebie małego białego królika w kamizelce i fraczku. Zwierzak wyciągnął z kamizelki zegarek i zamruczał pod nosem:

– Ojej, ojej, spóźnię się!

Alicja była bardzo zdumiona. Pobiegła za królikiem i zobaczyła, jak znika w swojej norce.

Ruszyła za nim. Norka nie była ciasna i dziewczynka zmieściła się w niej bez problemu. Za zakrętem korytarz ostro kierował się w dół i nagle Alicja zaczęła spadać w głąb studni. Przestraszyła się nie na żarty.

Spadała bardzo, bardzo długo.
– To wszystko jest takie dziwne – powiedziała
do siebie.
Nagle upadła z hukiem na stertę suchych liści,
które zadziałały jak poduszka.

Alicja szybko podniosła się i chciała biec za królikiem, ale on znikł. Rozejrzała się dooko-ła. Znajdowała się teraz w ogromnej sali, jakby wewnątrz pałacu. Zorientowała się, że królik uciekł przez malutkie drzwiczki.

Nagle dziewczynka zobaczyła na stole buteleczkę z napisem „WYPIJ MNIE" Chwyciła ją, wypiła duży łyk i zaczęła się zmniejszać, wręcz składać jak teleskop, do wysokości piętnastu centymetrów. Alicja pobiegła do drzwi, ale niestety nie wzięła ze stołu klucza, a stół był teraz ogromny.

Wtedy zauważyła pod stołem malutki torcik z napisem „ZJEDZ MNIE". Spałaszowała ciasto i zaczęła rozkładać się jak największy na świecie teleskop.

Alicja miała trzy metry wzrostu.

– Teraz nie przejdę przez drzwiczki – zaczęła płakać.

Spostrzegła jednak Białego Królika, który – kiedy ją zobaczył – przestraszył się, zaczął uciekać i zgubił wachlarz i białe rękawiczki. Alicja włożyła jedną z nich. „Jak to możliwe?” – pomyślała.

Nagle zorientowała się, że ma pół metra wzrostu i że się zmniejsza. Po chwili wpadła do słonej wody. „To pewnie morze” – pomyślała. Jednak to była olbrzymia kałuża jej łez, które wylała, mierząc trzy metry.

Kiedy tak pływała w basenie łez, nagle stał się on bardzo zatłoczony. Było w nim dużo różnych zwierząt, a zwłaszcza ptaków.

Płynąc do brzegu, Alicja zaczęła rozmowę ze zwierzętami. Po kilku minutach czuła się tak, jakby znała je wszystkie od dawna. Gdy dotarli na ląd, Dodo zasugerował, że najlepszym sposobem na wysuszenie jest wyścig Komitetu.

– Cóż to takiego? – zapytała Alicja.
– Najlepszym sposobem na wyjaśnienie będzie to wykonać – stwierdził Dodo.
Oznaczył tor po kole. Zwierzęta zaczęły biegać i się zatrzymywać, kiedy im się spodobało. Przez to trudno było stwierdzić, czy wyścig już się skończył, czy nie.

Nagle Dodo krzyknął:
– Wyścig skończony! A ona – wskazał na Alicję –
da wam nagrodę.

Dziewczynka była zaskoczona, ale sięgnęła do
kieszeni i wyjęła garść cukierków, które rozdała
i zwycięzcom, i przegranym.

Potem zaczęła opowiadać zwierzętom o swoim
kocie Dinie i nagle całe towarzystwo rozproszyło
się gdzieś.

Alicja zobaczyła Białego Królika, który czegoś szukał. Wziął Alicję za swoją służącą i powiedział:

– Mario Anno, przynieś mi z domu rękawiczki i wachlarz.

Alicja pobiegła do domku Królika. Na stole zobaczyła buteleczkę z napisem „WYPIJ MNIE", co też uczyniła. Zaczęła rosnąć. Nagle jej głowa uderzyła w sufit, a rękę musiała wysunąć przez okno.

Królik, który nie mógł dostać się do środka swej chatki, zwołał na pomoc inne zwierzęta, a one próbowały podpalić dom.

– Nie radzę wam – krzyknęła Alicja.

Wtedy zwierzęta zaczęły zasypywać okna żwirem, który po chwili sięgał już twarzy Alicji. Nagle kamienie zaczęły zamieniać się w ciastka. Alicja zjadła jedno i zaczęła się zmniejszać. Wybiegła z domku i uciekła do lasu.

Nagle zobaczyła gąsienicę siedzącą na grzybie i palącą fajkę wodną. Pan Gąsienica kazał się wytłumaczyć dziewczynce, co tu robi. Alicja zaczęła opowiadać o swoich przygodach i zmianach wzrostu. Pan Gąsienica rzekł do niej, schodząc z grzyba:

– Jedna strona grzyba cię powiększy, druga pomniejszy – i poszedł sobie, nie zważając na pytanie Alicji:

– Ale która strona jest która?

Grzyb miał okrągły kapelusz. Dziewczynka oderwała kawałeczek grzyba po prawej stronie i zaczęła się kurczyć. Przeraziła się i szybko połknęła kawałek, który zerwała lewą ręką.

– Och! Co się dzieje z moją szyją? – krzyknęła. Szyja dziewczynki wydłużyła się tak bardzo, że przelatująca gołębica wzięła Alicję za węża. Alicja miała w rękach kawałki grzyba i zaczęła gryźć je na przemian. Po pewnym czasie osiągnęła swój prawdziwy wzrost.

Alicja zaczęła wędrować po lesie. Wkrótce zobaczyła malutki domek. Zjadła kawałek grzyba z prawej ręki i zmalała. Ponieważ lokaj nie chciał jej wpuścić, sama weszła do domu.

Znalazła się w kuchni. Kucharka pochylała się nad dużym garnkiem i gotowała zupę. Obok niej siedziała Księżna i kołysała krzyczące wniebogłosy niemowlę. Przy nogach kręcił się kot, który się uśmiechał:

– Dlaczego ten kot się uśmiecha? – zapytała Alicja.

– Dlatego, że to Kot z Cheshire – odpowiedziała Księżna.

Nagle Księżna podała Alicji dziecko.
– Możesz się nim zająć, ja muszę przygotować się do partyjki krokieta.
Alicja wyszła z dzieckiem na spacer. Jakież było zdziwienie dziewczynki, gdy dziecko zamieniło się w świnię. Postawiła zwierzę na ziemi, a ono pobiegło do lasu.

Alicja poszła w drugim kierunku i nagle stanęła przed domem Marcowego Zająca, o którym wspomniał jej Kot z Cheshire.

Przed domem pod drzewami stał stół, przy którym siedzieli Marcowy Zając i Kapelusznik i popijali herbatkę, a między nimi spał Suseł.

– Nie ma miejsca! – krzyknęli, zobaczywszy Alicję.

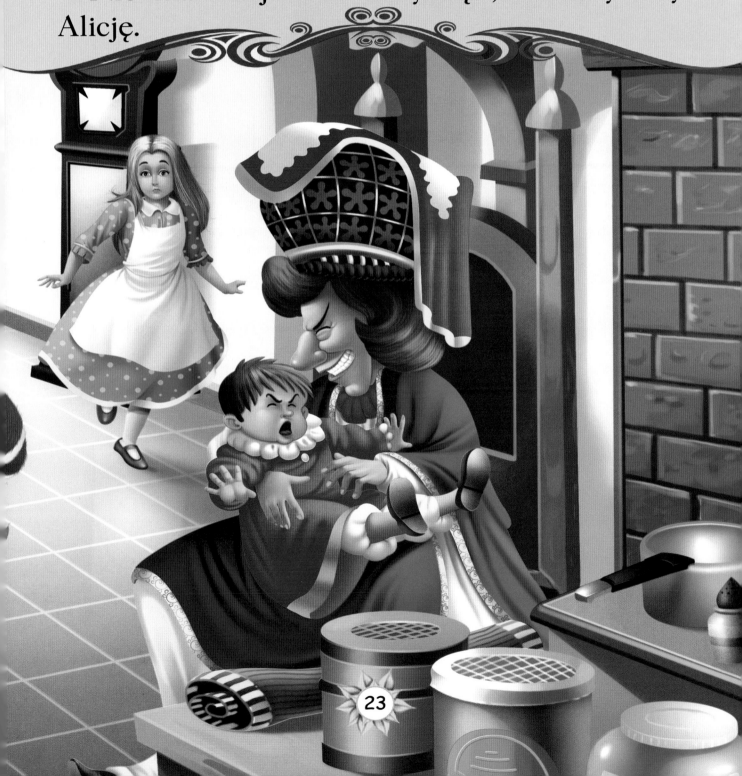

– Ależ jest – odparła dziewczynka.

Następnie Kapelusznik zaproponował Alicji wino, którego jednak nie było na stole.

– To niegrzeczne proponować coś, czego nie ma. Kapelusznik odparł:

– Niegrzeczne jest siadanie przy stole bez zaproszenia.

– Nie wiedziałam, że to wasz stół – stropiła się Alicja.

Kapelusznik zapytał Alicję:
– Który dzień miesiąca dzisiaj mamy?
– Czwarty – rzekła dziewczynka.
Wyjął z kieszeni zegarek i powiedział:
– Źle. Źle o dwa dni. Wiedziałem, że masło nie jest dobre dla mechanizmu.
Marcowy Zając próbował się usprawiedliwić:
– Ale to było najlepsze masło – powiedział, zanurzając zegarek w herbacie.

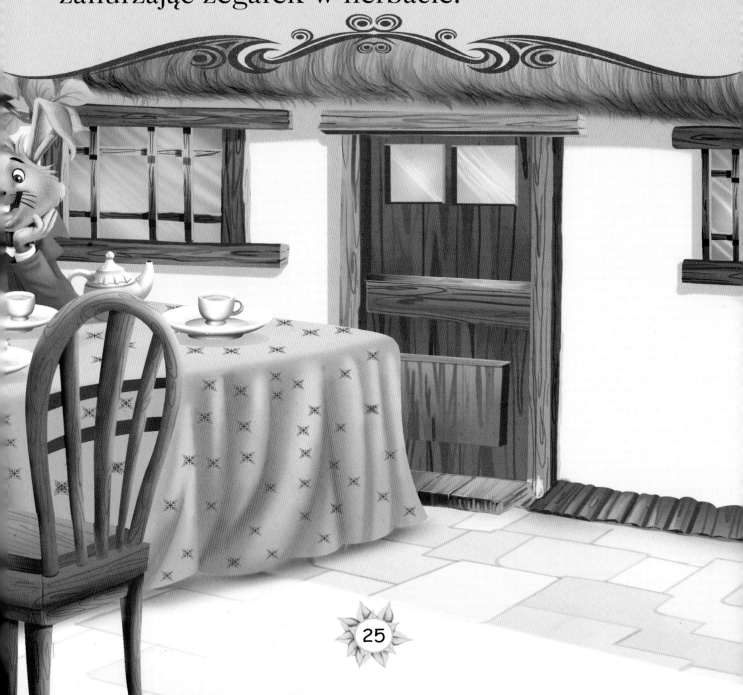

Alicja zerknęła na zegarek. Był dziwny, pokazywał dni miesiąca zamiast godzin. Kapelusznik wyjaśnił Alicji, że w domu Marcowego Zająca zatrzymał się czas i ciągle jest godzina szósta – pora herbaty.

Nagle Kapelusznik wylał trochę herbaty na Susła i go zbudził. Suseł zaczął opowiadać historię trzech sióstr, ale Alicja ciągle mu przerywała i zadawała mnóstwo pytań. Została więc wyproszona z towarzystwa i ruszyła przed siebie.

Szła, szła i doszła do pięknego ogrodu. Zobaczyła trzech ogrodników, którzy malowali wszystkie róże na czerwono! Ogrodnicy mieli kształt kart do gry. Alicja była bardzo zdziwiona, dlaczego malują róże.

Powiedzieli jej, że Królowa Kier poprosiła o czerwone róże, a jeden z nich przez pomyłkę posadził białe.

– Jeśli Królowa odkryje naszą pomyłkę, każe nas ściąć! – odpowiedział ze strapioną miną jeden z nich.

W tym momencie usłyszeli, jak ktoś zawołał:

– Królowa idzie!

Płaskie twarze ogrodników zaczęły drgać ze strachu. Padli na twarz. W orszaku szedł też Biały Królik. Królowa spojrzała na krzak różany i domyśliła się, co zrobili ogrodnicy.

– Ściąć im głowy – krzyknęła i odeszła.

Alicji szkoda zrobiło się ogrodników i ukryła ich w doniczce. Dzięki temu żołnierze nie odnaleźli ich i odeszli.

Królowa szła grać w krokieta i rozkazała Alicji dołączyć do niej. Gra była bardzo trudna, nikt nie przestrzegał reguł, za młotki służyły flamingi, które, jeśli się ich nie trzymało, odchodziły, a za piłki – jeże. Bramki, które tworzyli żołnierze, cały czas się przesuwały.

Nagle pojawiła się głowa Kota z Cheshire i zaczęła z nimi rozmawiać. Widząc to, Królowa kazała ściąć Kotu głowę. Pojawił się problem, bo nie można było ściąć głowy, która nie ma tułowia. Wezwano właścicielkę Kota – Księżną. Kot tymczasem zniknął.

Królowa wróciła do gry, a Księżna zaczęła rozmowę z Alicją i niemalże w każdym zdaniu, jakie padło, odnajdywała morał. Nagle zobaczyły nad sobą cień:

– Albo znikniesz, albo za chwilę stracisz głowę – rzekła Królowa do Księżnej.

Księżna pospiesznie się oddaliła, a przestraszona Alicja wróciła do gry.

Królowa usuwała niewygodnych graczy, ska-
zując ich na ścięcie. Z pola gry trafiali do
więzienia.
Kiedy z graczy pozostali tylko Król, Królowa
i Alicja, Królowa zapytała dziewczynkę:
– Czy znasz Żółwiciela?

Alicja go nie znała. Wtedy Królowa Kier zaprowadziła Alicję do Gryfa, który miał ją zabrać do Żółwiciela. W międzyczasie Król szepnął do żołnierzy, żeby uwolnili wszystkich skazańców. Gryf zaprowadził Alicję do Żółwiciela, który żałośnie szlochał. Po chwili zaczął opowiadać swoje losy.

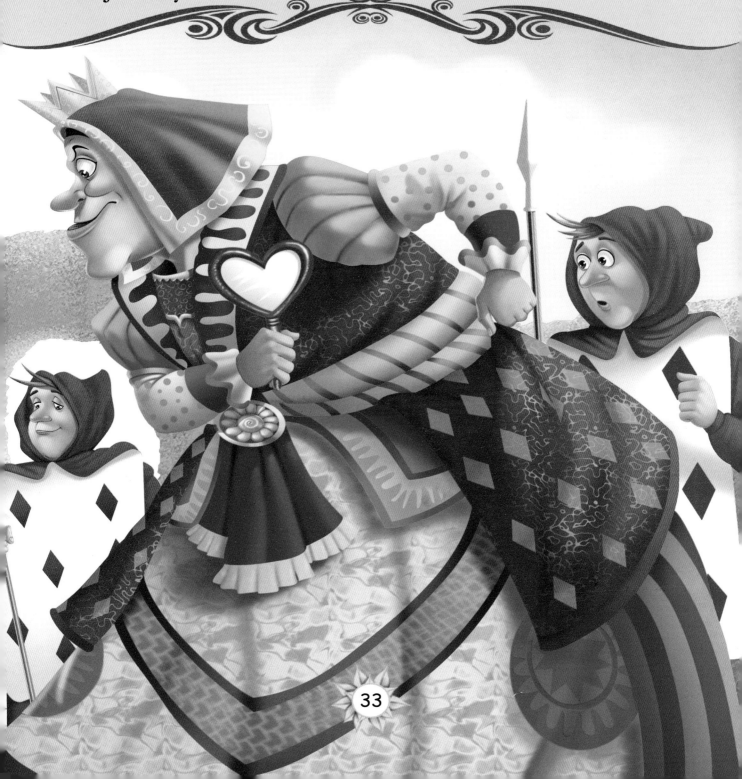

– Kiedyś byłem prawdziwym Żółwiem. Mieszkałem w morzu, chodziłem do szkoły i uczyłem się rozmaitych przedmiotów, na przykład prania. Alicja bardzo się zdziwiła. Żółwiciel zapytał Alicję, czy widziała kiedyś Kadryla z Homarami. Ponieważ dziewczynka nigdy czegoś takiego nie widziała, Żółwiciel i Gryf zaczęli tańczyć, a potem Żółwiciel zaśpiewał piosenkę.

Nagle jakiś głos w oddali krzyknął, że rozpoczął się proces i Gryf zabrał Alicję przed sąd. Sędzią był Król, obok niego siedziała Królowa Kier. Oskarżonym był Walet Kier, który ukradł ciastka upieczone przez Królową. Biały Królik, który pełnił funkcję herolda, zadął w trąbkę i wezwał pierwszego świadka – Kapelusznika. Zarówno z tego przesłuchania, jak i z kolejnych nic jednak nie wynikło. Na koniec wezwano Alicję.

Dziewczynka zauważyła, że ponownie jest duża.

– Nie możesz być świadkiem – zaprotestował Król. – Masz prawie dwie mile wzrostu.

Alicja zaczęła protestować. Nie było dowodów przeciwko Waletowi Kier.

Dziewczynka stanęła w jego obronie i zaczęła kłócić się z Królową Kier, która rozkazała żołnierzom ściąć ją.

– Nic mi nie zrobicie, jesteście zwykłą talią kart – oburzyła się Alicja.

W tym momencie karty wzbiły się w powietrze i zaczęły lecieć w stronę dziewczynki. Alicja przestraszyła się, zaczęła głośno krzyczeć i w tej chwili obudziła się.

– Och! To był tylko sen! – zawołała.

Fantastyczny sen nie trwał długo, ale przygody z Krainy Czarów Alicja zapamiętała na lata.

Roszpunka

Dawno, dawno temu żyli król i królowa. Wydawało się, że do szczęścia nic im nie brakowało. Okazało się jednak, że przepych i bogactwo to nie wszystko. Zapragnęli mieć dzieci.

Często na spacerach napotykali bawiące się pociechy poddanych i tęsknota za własnymi bardzo im doskwierała.

41

Po pewnym czasie wreszcie spodziewali się potomka.

W pobliżu ich zamku znajdował się piękny ogród. Królowa widziała go z okien pałacu. Otoczony był wysokim murem. Należał do złej czarownicy.

W ogrodzie rosła roszpunka, na którą królowa miała wielką ochotę. Pewnego dnia kobieta powiedziała do męża:

– Przynieś mi, proszę, roszpunki. Jeśli jej nie dostanę, umrę. Król bardzo kochał swoją żonę. Nie mógł znieść widoku jej cierpienia.

Zdecydował się podjąć ryzyko zdobycia rosz- punki. W nocy niepostrzeżenie zakradł się do ogrodu czarownicy, urwał warzywo i bez- piecznie wrócił do domu. Żona z apetytem zja- dła roszpunkę i nazajutrz zaczęła prosić męża o kolejną porcję.

Król stwierdził, że nie ma innego wyjścia, jak tylko po raz kolejny spełnić jej prośbę. Niestety, gdy tylko wszedł do ogrodu, został przyłapany przez wiedźmę.

– Jak śmiałeś tu wejść? – krzyknęła.

Król opowiedział jej o pragnieniu żony.

Wiedźma zgodziła się, aby urwał roszpunkę, ale pod jednym warunkiem. Odda jej nowo narodzone dziecko. Król z wrażenia zgodził się na wszystko. Wrócił z roszpunką do pałacu i gdy zobaczył radosną twarz żony, zapomniał o danej wiedźmie obietnicy.

Wkrótce królowa urodziła piękną córeczkę. Królewska para nie posiadała się ze szczęścia. Dziewczynka była spokojnym i bardzo uroczym niemowlęciem. Czas szybko płynął. Rodzice snuli plany o przyszłości córki i nawet nie pomyśleli, że coś mogłoby zakłócić te piękne chwile. Minęło kilka miesięcy.

Czarownica nie zapomniała o obietnicy króla. W środku nocy, kiedy król i królowa spali, wiedźma przyszła do zamku i wyjęła dziewczynkę z kołyski. Królowa się przebudziła i wielce zatrwożyła, że ktoś zabiera jej dziecko.

Gorzko zapłakała, zaczęła błagać o litość, ale nic nie zdołało stopić złego serca czarownicy.

– Już jej nigdy nie zobaczycie! – krzyknęła starucha i wybiegła z komnaty. Rodzice byli w szoku i nie zdążyli powstrzymać wiedźmy i zawołać służby i żołnierzy.

Wiedźma pospiesznie zabrała dziecko do swojego domu.

Czarownica opiekowała się dziewczynką, dba-
ła, żeby nic jej nie brakowało.
– Będziesz nosiła imię Roszpunka, tak jak
roślina, dzięki której cię mam – powiedziała
do królewny. Wychowywała dziecko w odo-
sobnieniu, także dziewczynka nie znała nikogo oprócz czarownicy.

– Jestem twoją babcią – zapewniła czarownica. Mijały lata i Roszpunka wyrosła na piękną dziewczynę. Wiedźma obawiając się utraty Roszpunki, zamknęła ją w wieży.

Wieża nie miała żadnych drzwi ani schodów. Na samej górze znajdowało się tylko jedno okno. Dziewczyna siedziała w oknie i patrzyła na piękny lasy i uczyła się śpiewu od ptaków, które do niej przylatywały.

Roszpunka była ukryta przed ludzkim wzrokiem. Nie znała innego życia niż to, które wiodła w wieży, ani nie widziała innej osoby niż czarownica. Pragnęła dotknąć trawy, kwiatów i drzew, których było pełno wkoło wieży, ale które były poza jej zasięgiem.

Dziewczyna spędzała czas, śpiewając, malując lub czytała książki albo czesała i splatała przed lustrem długie, złote włosy. Nieznana tęsknota wypełniała jej serce. Choć nie znała innego życia, czegoś jej brakowało.

Nikt nie odwiedził jej w wieży z wyjątkiem czarownicy, która codziennie przynosiła jej posiłek. Starucha traktowała Roszpunkę jak ptaka w klatce, który ma cieszyć jej oko i umilać czas przepięknym śpiewem.

Wiedźma stawała pod wieżą i wołała:
– Roszpunko, Roszpunko moja, spuść włosy.
Słysząc głos czarownicy, Roszpunka podbiegała
do okna.

Spuszczała długie na dwanaście łokci, złote włosy, po których wchodziła czarownica. Wiedźma wspinała się po włosach Roszpunki jak po drabinie.
Roszpunka miała bardzo mocne włosy.

Następnie dawała dziewczynie jedzenie. Gdy tylko Roszpunka się posiliła, czarownica rozkazywała:

– Teraz śpiewaj, śpiewaj dla mnie, tylko dla mnie. Opiekuję się tobą troskliwie, więc należy mi się twoja wdzięczność.

Roszpunka natychmiast rozpoczynała cudny śpiew.

Gdy czarownicy znudził się śpiew dziewczyny i miała ochotę już odejść, rozkazywała:
– A teraz spuść warkocz!
Roszpunka znowu spuszczała włosy przez okno, a wiedźma schodziła po nich na ziemię.

Pewnego dnia przystojny książę jechał na koniu niedaleko wieży i usłyszał, że ktoś śpiewa piosenkę. Książę nigdy nie słyszał tak słodkiego i pięknego głosu. Był zachwycony.
– Muszę poznać osóbkę o tak cudownym głosie – powiedział do siebie.

Okazało się, że głos dochodzi z wieży, do której jednakże nie ma wejścia. Młodzieniec ukrył się za krzewami w pobliżu wieży i zaczął obserwować okolicę. Po pewnym czasie, jak co dzień, czarownica przyszła pod wieżę i zawołała:

– Roszpunko, Roszpunko moja, spuść włosy.

Następnie wspięła się po włosach na wieżę.
Książę zdumiał się całą tą sytuacją.
Tak bardzo był zachwycony tajemniczym głosem, że wieczorem, gdy czarownica opuściła wieżę, wyszedł z ukrycia i zawołał:
– Roszpunko, Roszpunko droga, spuść włosy.

Roszpunka spuściła piękne włosy i książę wszedł na wieżę. Widząc młodego człowieka, Roszpunka zaniemówiła. Książę powiedział, żeby się go nie bała, gdyż ma względem niej przyjazne zamiary. Zaczął jej opowiadać o sobie i o świecie.

Młodzieniec zachwycił się urodą i wdziękiem Roszpunki. Dziewczyna podziwiała mądrość księcia. Zakochali się w sobie od pierwszego wejrzenia.
Następnie Roszpunka opowiedziała księciu swoje losy.

– Czuję się tu bardzo samotna – zapłakała Roszpunka.

Książę postanowił uwolnić ukochaną:

– Dziś muszę iść, ale wrócę do ciebie, mam plan. Przyniosę zwój niezwykle mocnych nici. Upleciesz z nich drabinę, po której zejdziesz i tak wydostaniesz się z wieży.

Gdy czarownica przyszła następnego dnia, zauważyła, że Roszpunka wygląda na bardzo szczęśliwą. Wiedźma była sprytna, a Roszpunka nieopatrznie powiedziała jej o mądrym i przystojnym księciu.

Roszpunka wyglądała na zakochaną. Wiedźma zezłościła się. Nikt, oprócz niej, nie będzie cieszył się towarzystwem dziewczyny. Odcięła nożycami piękne, długie włosy Roszpunki. Postanowiła także zaprowadzić Roszpunkę na pustelnię i zostawić ją samą sobie.

Jak postanowiła, tak zrobiła, a sama zawróciła na wieżę i czekała na księcia. Wkrótce młodzieniec dotarł do wieży. Zawołał:
– Roszpunko, moja Roszpunko – spuść włosy.
Wiedźma spuściła długi do ziemi warkocz Roszpunki.

Szczęśliwy książę szybko wspiął się na wieżę i jakie było jego zaskoczenie, gdy ujrzał wiedźmę. Czarownica była wściekła, kiedy zobaczyła księcia. Nim książę zdołał pojąć sytuację, wypchnęła go z okna.

– Nie sięgaj po to, co nie należy do ciebie – krzyknęła.

Młodzieniec upadł tak nieszczęśliwie, że stracił wzrok. Nie potrafił znaleźć drogi do pałacu i tułał się po lesie, wołając: – Roszpunko, kochana, gdzie jesteś? Roszpunko, moja najmilejsza, odezwij się, proszę.

Książę długo się błąkał po lesie. Pewnego dnia usłyszał znany słodki śpiew, którego nie dało się zapomnieć. Zaczął biec przed siebie i wołać:
– Roszpunko, Roszpunko, Roszpunko moja kochana!

Dziewczyna spostrzegła ukochanego i natychmiast podbiegła do niego. Rzuciła mu się na szyję, a łzy radości spływały jej po policzkach. Spadły również na oczy księcia i stał się cud – przywróciły mu wzrok.

Książę zabrał Roszpunkę na zamek jej rodziców. Król i królowa zaniemówili z wrażenia. Stracili wszelką nadzieję, że kiedykolwiek jeszcze zobaczą ukochaną córkę. Szukali jej bezskutecznie przez wiele lat. Król i jego służba przebyli lasy, góry i rzeki w poszukiwaniu Roszpunki.

Teraz byli szczęśliwi, że odnalazła się ich ukochana córka. Po całym królestwie rozeszła się wspaniała wieść. Wkrótce odbył się ślub młodych i zamieszkali w pałacu księcia. Żyli długo i szczęśliwie.

Calineczka

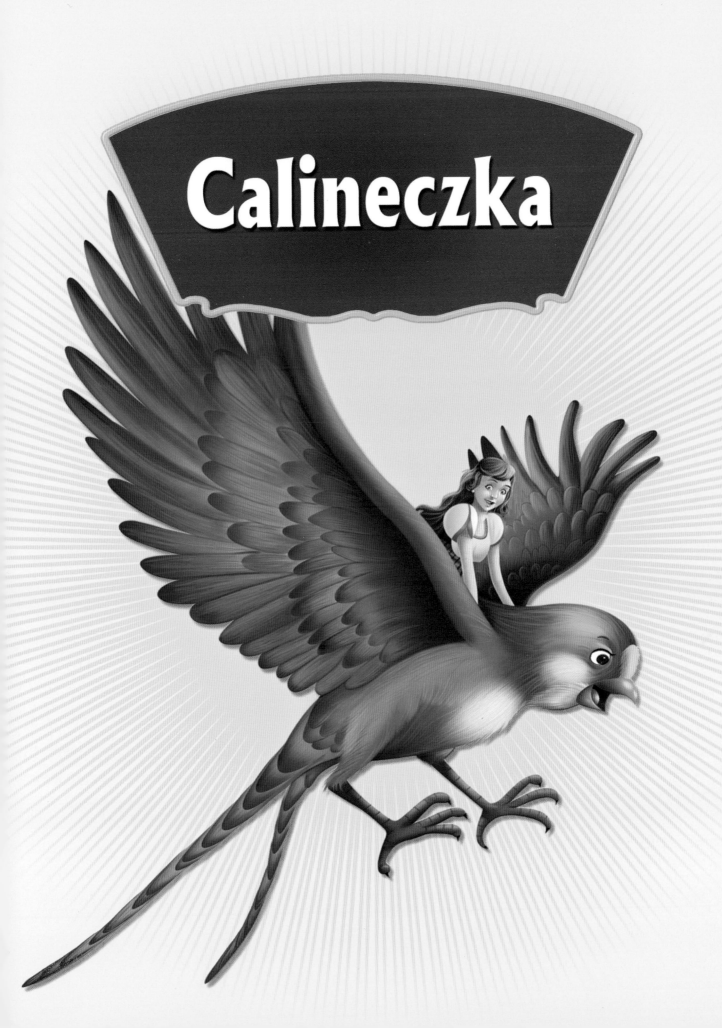

Była sobie kiedyś pewna kobieta, która pragnęła mieć dzieci. Czas jednak płynął, a ona pozostawała samotna i była bardzo smutna z tego powodu. Marzyła, by jej dom wypełnił dziecięcy śmiech.

Pewnego dnia usłyszała o starej mądrej kobiecie, która może jej pomóc, i udała się do niej. Staruszka potrafiła przeniknąć serca ludzi i zobaczyła, że intencje kobiety są czyste i przepełnia ją miłość. Uśmiechnęła się i powiedziała:

– Weź to małe ziarno i posiej je w doniczce, a twoje marzenie się spełni.

Kobieta wzięła nasionko do domu i włożyła do doniczki.

Wkrótce ziemię przebiła zielona łodyżka, a potem na jej końcu pojawił się pąk. Płatki zaczęły się rozchylać i rozwinął się piękny kwiat. W środku siedziała dziewczynka nie większa niż kciuk.

– Jaka ładna i słodka istotka! – powiedziała kobieta. – Jesteś taka mała, nie większa niż cal. Nazwę cię Calineczką.

Kobieta otoczyła opieką małą Calineczkę. Często chodziły na spacery, gdzie dziewczynka bawiła się na kolorowych kwiatach.

W nocy Calineczka spała w łóżku wykonanym z łupiny orzecha. Wymoszczone było ono ptasimi piórkami, tak że dziewczynka spała jakby w puchu, który był bardzo ciepły. Dodatkowo mogła przykryć się kołderką z płatka tulipana.

Pewnego dnia przez okno wskoczyła wielka, brzydka ropucha.

– Och, jaka piękna żona dla mojego syna! – zaskrzeczała, porwała Calineczkę i zaniosła nad strumień.

Ropucha umieściła dziewczynkę na liściu lilii wodnej, gdzie nurt był słabszy, i udała się po syna. Calineczka cała drżała ze strachu. Liść był wprawdzie dość duży i mocny, ale dookoła płynęła głęboka woda. Zaczęła płakać.

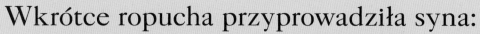

Wkrótce ropucha przyprowadziła syna:
– Oto mój syn, to będzie twój mąż – zarechotała.
Syn był bardzo posłuszny matce, postępował zawsze tak, jak matka powiedziała. Poza tym cieszył się z jej wyboru. Calineczka bardzo mu się
spodobała.

– Nigdy nie uciekniesz ode mnie – powiedział ropuch, śmiejąc się do Calineczki, i popłynął szykować nowy dom dla siebie i swojej przyszłej żony. Nie dość, że był on paskudny, to jeszcze miał niedobry charakter. Myślał tylko o sobie i swoim szczęściu.

Rybki ze stawu usłyszały, co planuje ropucha. Zrobiło się im żal ślicznej, malutkiej dziewczynki. Postanowiły jej pomóc za wszelką cenę i przegryzły łodygę lilii. Liść z Calineczką szybko odpłynął z biegiem wartkiego strumienia.

Liść płynął i płynął. Wkrótce zaczął nad nim krążyć kolorowy motylek, pięknie machając skrzydełkami, które były delikatne jak mgiełka.

– O, jakże jesteś uroczy – zachwycała się Calineczka.

Motylek zatrzepotał skrzydłami tuż nad głową Calineczki. Dziewczynka przewiązała swój pasek wokół motylka, a drugi koniec przyczepiła do liścia i zaczęła płynąć coraz szybciej.

– Teraz to już na pewno nie dogoni mnie ropuch – odetchnęła z ulgą Calineczka. – Jestem uratowana. Wkrótce jednak pasek odwiązał się i motylek poleciał dalej bez Calineczki. Została sama.

Nagle na liść sfrunął duży chrabąszcz i pochwycił Calineczkę, gdyż chciał ją poślubić. Calineczka była przerażona, mimo że chrabąszcz poczęstował ją miodem i prawił jej komplementy.

90

W końcu zabrał ją do swojego domu i przedstawił matce:
– Mamo, chciałem ci przedstawić moją przyszłą żonę.

Matka nie była zadowolona z wyboru syna.
– Ta dziewczyna nie ma skrzydeł, nie nadaje się na twoją żonę – powiedziała. – Jest brzydka, nie wygląda tak jak my. Ty, synku, potrzebujesz dla siebie odpowiedniej żony.

Następnie ściszonym głosem dodała:
– Zostaw ją w lesie, nie jest nam do niczego po-
trzebna. Będziemy mieli tylko dodatkowy kłopot.
Jest tak delikatna, że na pewno nie pomoże mi
w pracach domowych.

I westchnęła:

– Może trochę szkoda tej małej, ale nie potrzebny nam darmozjad. Zabierz ją na spacer po lesie i porzuć gdzieś daleko. Powiedz, że chcesz jej pokazać okolicę. Przecież mieszkamy w bardzo pięknym miejscu.

Chrabąszcz postąpił zgodnie ze wskazówkami matki. Zabrał dziewczynkę na długi spacer i porzucił w lesie. Calineczka nie wiedziała, co ma począć. Błąkała się po lasach, polanach i łąkach. Spała w kielichach kwiatów, żywiła się nektarem kwiatów i spijała z trawy poranną rosę.

Niestety w końcu nadeszła jesień, a potem wczesna zima. Zaczął wiać mroźny wiatr, a z chmur zaczęły spadać miękkie, ale lodowate płatki śniegu. Calineczka zaczęła wędrówkę w poszukiwaniu ciepłego domu. Długo błąkała się po świecie, aż wreszcie dotarła do mysiej norki.

– Proszę, daj mi coś do zjedzenia. Wędruję już wiele dni, jest mi zimno.

Myszy zrobiło się żal dziewczyny:

– Możesz się u mnie zatrzymać. W izdebce jest ciepło. Mam też zapasy jedzenia.

Calineczka była szczęśliwa, zamieszkała u myszy.

Pewnego dnia mysz powiedziała do Calineczki:
– Mamy zaproszenie do mojego przyjaciela kreta. Byłby dla ciebie doskonałym mężem. On jest bardzo bogaty i będziesz z nim szczęśliwa.

Ale Calineczka zmartwiła się. Nie chciała męża kreta.

Tymczasem przyszedł kret i osobiście zaprosił Calineczkę:

– Proszę, przyjdź i zobacz, gdzie mieszkam.

Calineczka nie chciała kreta urazić, więc weszła do tunelu, który prowadził do mrocznego podziemia domu. Kiedy po drodze zobaczyła rannego ptaka, Calineczka myślała, że jej serce pęknie z żalu.

Pochyliła się nad nim i pogłaskała jego miękkie piórka. Ptak poruszył się, ale nie otwierał oczu. Żył, ale był bardzo wycieńczony, przemarznięty i głodny.

Calineczka okryła go suchymi liśćmi i siankiem. Opatrzyła też zranione skrzydło. I tak opiekowała się jaskółką przez całą zimę.

Kret niechętnie patrzył na te starania Calineczki, ale nie sprzeciwiał się im. Pewnego razu nawet jej pomógł. Tymczasem jaskółka nabierała sił. Jej piórka odzyskały połysk. Ptaszek zaczął prostować skrzydła.

Wkrótce nadeszła wiosna i ciepłe promienie słoneczne zaczęły ogrzewać ziemię.

Jaskółka wyzdrowiała i wyszła z kopca kreta. Początkowo powiew świeżego powietrza i blask słońca oszołomiły ptaszka.

– Kochany ptaszku – powiedziała Calineczka, jesteś wolny.

Wtedy jaskółka rozpostarła swoje granatowoczarne skrzydła i wzbiła się do lotu.

– Dziękuję ci bardzo. Daj mi znać, jeśli będę mogła ci pomóc w jakikolwiek sposób. Pozostaję do twoich usług – powiedziała na pożegnanie. Jaskółka zaprosiła Calineczkę na swój grzbiet i odbyły wspaniały lot nad okolicą.

Następnie Calineczka pożegnała się z ptakiem. Była szczęśliwa, że odzyskał siły, ale była też smutna, bo straciła towarzysza.

Rozejrzała się dookoła. Zobaczyła pierwsze kwiaty, zieloną trawę i młode listki na drzewach i zasmuciła się jeszcze bardziej. Przed następną zimą kret szykuje ich ślub. Będzie musiała zamieszkać pod ziemią.

Calineczka całe lato pracowała pod ziemią. Stara mysz powiedziała, że będzie jej dobrze z kretem. Kiedy zbliżał się dzień ślubu Calineczki, dziewczyna postanowiła wyjść z kopca i pożegnać się z pięknym, kolorowym światem.

– Żegnaj, złociste, ciepłe słońce…

Nagle usłyszała nad sobą szczebiot. To jaskółka! Przysiadła na chwilę wśród traw i kiedy poznała przyczynę smutku Calineczki, zaprosiła ją na swój grzbiet. Akurat wybierała się do ciepłych krajów, więc zabrała dziewczynę ze sobą.

Po wielu dniach podróży dotarły na miejsce – do pięknej, słonecznej krainy. I tam w kwiatku Calineczka znalazła duszka kwiatowego – księcia, który wkrótce poprosił ją o rękę. Jaskółka była już spokojna o los Calineczki.

W dniu ślubu książę powiedział:

– Nie będziesz już Calineczką. Od dziś będziesz nosić imię Maja.

Jaskółka spędziła z nimi pewien czas, ale musiała wracać do Danii, gdzie uwiła gniazdo nad oknem pana, który opowiadał baśnie, i śpiewała mu o kwiatowym księciu i małej Calineczce – stąd cała historia.

Piękna i Bestia

Dawno temu żył bardzo bogaty kupiec, który miał trzy córki. Ulubienicą ojca była najmłodsza – Piękna. Dwie starsze córki kupca rzadko można było zastać w domu, podczas gdy Piękna lubiła dotrzymywać towarzystwa swojemu staremu ojcu.

Pewnego razu, gdy tak sobie siedzieli, kupiec otrzymał wiadomość, że jego statki z cennym towarem zatonęły podczas wielkiej burzy. Sprawdził w księdze rachunkowej wartość strat i bardzo się zasmucił.

Postanowił z samego rana udać się do portu, by sprawdzić, ile statków brakuje.

– Może nie wszystko stracone i choć część towaru ocalała – westchnął.

Tuż przed wyprawą do miasta zapytał córek, jaki podarek chciałyby otrzymać.

Starsze córki zażyczyły sobie naszyjniki z kamieniami, sukienki z bufiastymi rękawami i perfumy. Tylko młodsza milczała.

– A co mam przywieźć dla ciebie, Piękna? – zapytał kupiec swą najmłodszą pociechę.

– Cóż, drogi ojcze, proszę, abyś przywiózł mi różę – powiedziała dziewczyna. – Pragnęłabym dostać czerwoną różę – powtórzyła życzenie Piękna.

Kupiec spakował się, pożegnał z córkami i wyruszył do miasta.

W porcie długo załatwiał ważne sprawy dotyczące zatopionych statków. Gdy wracał do domu, zapadła już noc i zgubił w lesie drogę. Nagle w oddali dostrzegł światło. Kiedy podszedł bliżej, ujrzał piękny zamek.

Pospiesznie udał się tam w poszukiwaniu schronienia. „Jakie szczęście, że na niego natrafiłem" – pomyślał mężczyzna.

Drzwi były szeroko otwarte. Wszedł do wielkiej sali, ale nikogo tam nie było. Bogate w ornamenty wnętrze wyglądało imponująco.

W kominku płonął ogień, a stół był zastawiony do kolacji, jednak znajdował się na nim tylko jeden talerz. Kupiec czekał długo, ale nikt nie nadchodził. W końcu nie miał już sił, by dłużej czekać na gospodarza. Usiadł śmiało, nałożył sobie wielu smacznych potraw i jadł do syta.

Po posiłku poczuł się bardzo zmęczony. Tuż obok jadalni był pokój z dużym wygodnym łożem, kupiec położył się w nim i zasnął twardym snem.

Rano przy łóżku znalazł świeżą odzież. Ubrał się i poszedł do pokoju, w którym poprzedniego dnia jadł kolację. Nikogo nie było, ale na stole czekało pyszne śniadanie.

Wypoczęty i syty kupiec postanowił obejrzeć okolicę. Wyszedł do ogrodu i zobaczył śliczne pachnące róże. Przypomniał sobie życzenie najmłodszej córki. Wyciągnął rękę w kierunku urodziwego kwiatu, jednak gdy tylko go dotknął, usłyszał potężny ryk. Przeraził się bardzo.

W jednej chwili odwrócił się i zobaczył strasznego stwora – Bestię.

– Dałem ci jedzenie, ubrania i ciepłe łóżko, a ty tak mi odpłacasz? Kradniesz moją różę? Będę musiał cię zabić – ryknął złowieszczo Bestia.

– Róża jest dla mojej córki – wyjaśnił drżącym głosem kupiec. – Zawsze przywożę córkom prezenty. Jedna z nich poprosiła o różę. Nie wiedziałem, że będziesz miał coś przeciwko zerwaniu jednego kwiatu.

Upadł na kolana i błagał Bestię o wybaczenie i o to, żeby mógł cały i zdrowy wrócić do domu, do córek. Mężczyzna był wdowcem i nie miał innej rodziny, prócz córek. Bardzo się zmartwił ich losem, gdy pomyślał, że zostałyby same na świecie.

Bestia zgodził się na jego odejście, ale pod jednym warunkiem:
– Możesz wrócić do domu, jeśli jedna z twoich córek zamieszka ze mną w moim pałacu na zawsze. Jeśli odmówisz, umrzesz. Mogę zagwarantować ci, że nie skrzywdzę twojej córki.

Zrozpaczony kupiec zgodził się i odjechał. Gdy tylko wszedł do domu, Piękna rzuciła mu się na szyję i ucałowała ojca. Bardzo się za nim stęskniła. Ale ojciec nie miał dobrych wieści.

Opowiedział córce swoją przygodę i o słowie danym Bestii. Piękna zmartwiła się.

– Ja jestem przyczyną tego nieszczęścia, to moja wina i dlatego to ja zamieszkam z Bestią – rzekła.

Kupiec nie chciał się zgodzić, ale Piękna powiedziała:
– Ojcze, sam mnie uczyłeś, że trzeba dotrzymać danego słowa. Zawsze postępowaliśmy uczciwie i wywiązywaliśmy się z obietnic. Nie możemy się teraz wycofać.

Następnego ranka dziewczyna wraz z ojcem wyjechała do pałacu Bestii, gdzie została przyjęta serdecznie. Bestia zapytał Piękną:
– Czy znalazłaś się tu z własnej woli?

Dziewczyna przytaknęła. Następnie Bestia zwrócił się do kupca:

– Możesz już odejść. Nic nie stanie się twojej córce.

Kupiec z ciężkim sercem wsiadł na konia i odjechał. Piękna gorzko zapłakała.

Mijały długie tygodnie, a Piękna nadal mieszkała w zamku Bestii. W tym czasie przekonała się, że Bestia nie był tak naprawdę przerażający, stopniowo przestała się go bać. Piękna miała teraz wszystko, czego tylko zapragnęła. Żyła w luksusie. Spędziła z Bestią wiele szczęśliwych dni.

Kiedyś podczas kolacji Bestia poprosił Piękną o rękę.

Dziewczyna odpowiedziała:

– Nie, mój drogi Bestio, ale pozostanę z tobą na zawsze.

Każdego wieczora po kolacji Bestia ponawiał pytanie, lecz Piękna zawsze odmawiała.

Pewnego dnia podczas spaceru po zamku Piękna natknęła się na magiczne lustro. Zajrzała weń i zaczęła płakać, bo zobaczyła w nim chorego ojca i płaczące siostry. Piękna pobiegła do Bestii i prosiła go o pozwolenie wyjazdu do domu.

Bestia bardzo się zmartwił, ale powiedział:
– Możesz jechać, ale wróć w ciągu siedmiu dni, bo inaczej umrę.
– Wrócę – obiecała Piękna. – Daję ci słowo, że wrócę. Wiesz, że cię nie okłamię.

Nazajutrz Bestia podarował Pięknej dużą skrzynię złota i wysłał karetą zaprzężoną w piękne rumaki do domu.
– Do widzenia, kochany Bestio! – powiedziała Piękna. – Wrócę szybko, tak jak obiecałam.

136

Wkrótce Piękna przybyła do domu ojca i została tam bardzo ciepło przyjęta. Wszyscy bardzo się za nią stęsknili. Szczęście ojca nie miało granic, gdy ujrzał córkę całą i zdrową. To tęsknota i wyrzuty sumienia przyczyniły się do jego choroby.

Obecność i troska Pięknej sprawiły, że kupiec szybko wracał do zdrowia, odzyskał siły i humor. Dziewczyna nie odstępowała ojca na krok. Przygotowywała mu posiłki i umilała czas czytaniem książek, śpiewem i rozmową.

Piękna była szczęśliwa, gdyż wróciła do kochanego rodzinnego domu. Tu się urodziła i spędziła dzieciństwo, które, mimo że nie miała matki, dzięki miłości ojca było wspaniałe. Teraz, po tak długiej rozłące wspomnienia ożyły. Znowu było tak jak dawniej.

Siedem dni minęło bardzo szybko. Piękna zatęskniła za dobrym Bestią. Pewnej nocy miała sen, że Bestia umiera. Obawiając się najgorszego, Piękna zerwała się z łóżka, pożegnała z ojcem i jak najszybciej wróciła na zamek.

Jednak kiedy tam dotarła, nie mogła nigdzie znaleźć Bestii. Piękna miała złe przeczucie. Biegała od komnaty do komnaty, wspięła się po krętych schodach do pokoiku na wieży, zaglądała tu i tam, wołała, ale nikt jej nie odpowiedział.

W końcu zobaczyła Bestię bez sił leżącego w ogrodzie.

– Och, Bestio, umierasz. Ja też umrę, bo nie mogę żyć bez ciebie – płakała Piękna.

Po tych słowach Bestia otworzył oczy i powiedział:

– Piękna, czy wyjdziesz za mnie?
Dziewczynę serce ścisnęło z żalu. Nawet nie wie, kiedy i jak to się stało, że pokochała Bestię. Odpowiedziała cicho:
– Tak.

Nagle, ku zdumieniu Pięknej, Bestia zniknął przesłonięty niezwykłym blaskiem. Przed dziewczyną zjawił się przystojny książę. Piękna była zaskoczona, ale młodzieniec szybko wyjaśnił:

– Twoja prawdziwa miłość uwolniła mnie od klątwy. Tylko takie uczucie mogło zdjąć zaklęcie.

Kiedyś nie udzieliłem schronienia tajemniczemu podróżnemu. On rzucił na mnie zły czar. Od tamtej pory moje drzwi stoją przed ludźmi otworem. Cóż z tego, kiedy zgodnie ze słowami zaklęcia każda z róż kwitnących w moim ogrodzie oznaczała dokładnie rok życia Bestii.

Twój ojciec zerwał jeden z ostatnich kwiatów, mój czas więc dobiegał końca. Ty swoją miłością ocaliłaś mi życie i przywróciłaś do świata ludzi. Zostań, proszę, moją żoną!

Piękna się zgodziła i wkrótce odbył się wspaniały ślub, na którym nie zabrakło ojca panny młodej i jej sióstr. Wszyscy żyli długo i szczęśliwie.

Złotowłosa
i trzy niedźwiadki

W środku głębokiego lasu mieszkały trzy niedźwiadki: tata niedźwiedź, który był duży, mama niedźwiedzica, która była mniejsza, i niedźwiadek, który był najmniejszy. Tworzyli oni bardzo sympatyczną rodzinę.

Pewnego ranka mama niedźwiedzica ugotowała duży garnek owsianki i rozlała ją do trzech misek: dużej, średniej i małej. Ale kaszka była zbyt gorąca do jedzenia.

– Pozostawmy ją do ostygnięcia, tymczasem chodźmy na poranny spacer – zaproponował tata niedźwiedź.

– Kiedy wrócimy, owsianka będzie w sam raz – przytaknęła mama niedźwiedzica.

I tak niedźwiedzia rodzina poszła na spacer. Niedźwiedzie bardzo lubią długie spacery, są one ważne, aby zachować zdrowie i kondycję. Poza tym zawsze można coś ciekawego zaobserwować.

Mały miś zawsze szedł przed swoimi rodzicami
i bardzo cieszył się ze spacerów w lesie. Gonił
motylki lub króliczki, wąchał kolorowe kwiatki
i pluskał się w strumyku.

Niedaleko lasu mieszkała wraz z rodzicami dziewczynka. Miała na imię Złotowłosa, gdyż jej włosy były złociste jak słońce. Bardzo się nudziła w domu, bo była jedynaczką i nie miała się z kim bawić. Lubiła spacerować po lesie, ale nie miała z kim, gdyż rodzice pracowali.

Pewnego dnia Złotowłosa poprosiła rodziców o zgodę na wędrówkę na pobliską leśną polanę. Ponieważ polana nie była daleko, rodzice się zgodzili. Pożegnała się z nimi i ruszyła na spacer.

Szybko jednak pomyliła ścieżki i zamiast na polanę, poszła w głąb lasu. Kiedy dziewczynka zdała sobie sprawę, że zabłądziła, zaczęła się bać, las w głębi wydał jej się przerażający.

Aż tu nagle zobaczyła ładny domek. Odetchnęła z ulgą, ale już po chwili różne myśli przychodziły jej do głowy. Kto mieszka w domu? Czy zechce z nią porozmawiać i przyjmie ją przyjaźnie?

Po namyśle postanowiła pójść w kierunku domku. Zapukała do drzwi, ale nikt nie odpowiadał.
Zajrzała więc przez okno do wnętrza. W domu
nie było nikogo. Pomyślała: „Ciekawe, kim są
gospodarze i gdzie teraz przebywają".

Zebrała się na odwagę i zdecydowała się wejść do środka. Podniosła skobelek i weszła. Była zaskoczona. Dom był pusty, ale bardzo czysty i zadbany. Dziewczynka nie zauważyła myszek, które chciały dobrać się do zastawionego stołu.

Na stole stały trzy miski: duża, średnia i mała. Dookoła stołu stały trzy krzesła: wielki fotel, średniej wielkości krzesło i malutkie krzesełko. Dziewczynka nie widziała, że miski i krzesła należały do niedźwiedzi: taty, mamy i ich synka.

Złotowłosa była bardzo głodna, a na stole stała pyszna owsianka.

– Och! Jaka jestem głodna – powiedziała i zabrała się do jedzenia największej porcji, ale owsianka z największej miski była jeszcze zbyt gorąca.

Owsianka ze średniej miski była zbyt zimna. Złotowłosa spróbowała kaszki z miseczki niedźwiadka. Ta była w sam raz. Dziewczynka chwyciła za łyżkę i z pośpiechem zjadła całą porcję.

Potem Złotowłosa postanowiła odpocząć. Ale duży fotel był dla niej zbyt twardy. Następnie usiadła na mniejszym krzesełku mamy niedźwiedzicy.

– Ono z kolei jest zbyt miękkie – powiedziała do siebie.

W końcu usiadła na najmniejszym foteliku i zaczęła się na nim wiercić.

„To jest w sam raz" – pomyślała. Ale dziewczynka była zbyt ciężka, krzesełko zaskrzypiało, zaczęło pękać, aż w końcu się rozpadło. Bump! Złotowłosa wylądowała na podłodze.

– Ała! – krzyknęła ze złością. – Wszystko mnie boli i jestem taka zmęczona i senna. Najwyższy czas uciąć sobie drzemkę. Szkoda, że nie ma tu mojego pokoju z moim wygodnym posłaniem.

Dziewczynka postanowiła pójść na górę. W tym czasie myszki dobrały się do pozostawionych na stole resztek i narobiły bałaganu. Złotowłosa wypróbowała duże łóżko taty niedźwiedzia, ale było zbyt twarde, i mniejsze mamy niedźwiedzicy, ale było zbyt miękkie.

– To jest wygodne – westchnęła dziewczynka, układając się w łóżeczku niedźwiadka. Złotowłosa była bardzo zmęczona spacerem i emocjami i szybko zasnęła.

Wkrótce rodzina niedźwiedzi wróciła ze spaceru.
– Jestem bardzo głodny i teraz ze smakiem zjem śniadanie – powiedział tata niedźwiedź, ale kiedy dotarł do stołu, zawołał ze zdziwieniem: – Ktoś jadł moją owsiankę!
– I moją – powiedziała mama niedźwiedzica.

– Ktoś zjadł całą moją owsiankę – pisnął niedźwiadek, trzymając pustą miskę w łapce.
– Patrzcie! – powiedział tata niedźwiedź. – Ktoś siedział na moim krześle.

– I na moim – dodała mama niedźwiedzica.
– Ktoś siedział na moim krześle – szlochał niedźwiadek – i połamał je na kawałki!

Miś zaczął głośno płakać, a rodzice próbowali go uspokoić.

W tej sytuacji niedźwiedzie postanowiły odszukać intruza. Przeszukały cały parter, ale nie znalazły nikogo. Postanowiły poszukać na piętrze.

Po cichutku zakradły się do sypialni. Tata niedźwiedź wziął ze sobą na wszelki wypadek kij. Weszli do sypialni.

– Ktoś spał w moim łóżku! – powiedział tata.
– I w moim – zawołała mama.

– Och! – pisnął niedźwiadek. – Ktoś śpi w moim łóżku!

Niedźwiadki patrzyły zdumione to na dziewczynkę, to na siebie nawzajem. Na dźwięk głosu niedźwiadka Złotowłosa obudziła się.

Gdy otworzyła oczy, zobaczyła wyglądającego groźnie tatę niedźwiedzia i aż podskoczyła ze strachu. Nie spodziewała się, że może to być domek niedźwiedzi, a o zwierzętach tych słyszała różne bajki i historie.

Nie zastanawiając się, wyskoczyła z łóżka, zbiegła ze schodów i ruszyła w kierunku drzwi. Ale niedźwiedzie, zobaczywszy śliczną dziewczynkę, zaczęły za nią wołać:

– Poczekaj, nie musisz się nas bać!
Dziewczynka zatrzymała się i przyjrzała dokładnie niedźwiedziej rodzince. Poczuła się bezpiecznie, gdyż wszystkie trzy niedźwiedzie przyjaźnie się do niej uśmiechały.

Przeprosiła za bałagan, jaki zrobiła w gościn-
nym domku, i już po chwili dokazywała z nie-
dźwiadkiem.

Mama niedźwiedzica poczęstowała Złotowłosą poziomkową herbatą i miodowymi ciasteczkami. Niedźwiadek zaprosił dziewczynkę do wspólnego budowania zamku z kolorowych klocków.

Złotowłosa i niedźwiadek polubili się tak bardzo, jakby znali się od dawna. Następnie rozpoczęli zabawę w ciuciubabkę, a gdy się znudzili, w chowanego.

Czas płynął miło i zbliżał się wieczór. „Pora wracać do domu" – pomyślała Złotowłosa. Tata niedźwiedź wyprowadził dziewczynkę z lasu i zaprosił ją do ponownych odwiedzin.

– Bardzo wam dziękuję, kochane niedźwiadki, i jeszcze raz przepraszam za kłopot, jaki sprawiłam – powiedziała Złotowłosa.

– Możesz nas odwiedzać, kiedy tylko zechcesz – powiedział mały niedźwiadek.

– Zapraszamy serdecznie – dodała mama niedźwiedzica.

Dziewczynka szczęśliwie wróciła do domu. Tego dnia szybko zasnęła i miała piękne sny o spotkaniu z niedźwiadkami. Tak zakończył się pełen wrażeń dzień Złotowłosej.

KONIEC

Spis treści